Collection folio junior en poésie

Maquette : Karine Benoit

BLAISE CENDRARS

CHOIX DE POÈMES

Gallimard
Jeunesse

« LA POÉSIE DE LA VIE »

Frédéric Sauser, qui, devenu poète, se créera son nom nouveau : Blaise Cendrars, est né le 1er septembre 1887 à la Chaux-de-Fonds, en Suisse, dans une famille bougeoise d'origine bernoise mais francophone. Freddy est le cadet : ses aînés sont Jean-Georges et Marie-Elise. Le père, un homme d'affaires dont les projets sont souvent voués à l'échec, entraînera sa famille en Égypte, à Naples, puis, rapatriés, les Sauser habiteront d'abord à Bâle. Freddy est tour à tour élève au lycée et pensionnaire en Allemagne. Enfin ce sera l'installation à Neuchâtel où le jeune homme est inscrit à l'école de Commerce. En septembre 1904, devant ses mauvais résultats scolaires, son père l'envoie en apprentissage en Russie, à Moscou, puis à Saint-Pétersbourg chez le joailler Leuba. Freddy assiste aux débuts de la Révolution de 1905, devient un habitué de la Bibliothèque impériale et commence à noter dans des cahiers impressions et commentaires sur de nombreux livres. La lecture restera une des passions de sa vie : « Pas un livre qui n'émette un rayon de lumière», écrira-t-il. Vers la fin de son séjour de près de trois ans en Russie, il rencontre Hélène Kleinmann : c'est un amour réciproque. Mais de retour en Suisse en juin 1907, Freddy apprend la mort d'Hélène, brûlée dans un incendie apparemment accidentel. Bouleversé, il en gardera longtemps un sentiment de culpabilité. En 1908, Freddy perd sa mère. Il reprend ses études à l'université de Berne, où il rencontre Féla Poznanska, une jeune étudiante polonaise qu'il épousera en 1914 et dont il aura trois enfants, Odilon, Rémy et Miriam. En 1909, *La Légende de Novgorode*, son premier poème est publié en Russie, traduit en russe, en 14 exemplaires, sous le nom de Frédéric Sauser. Bien que tout le tirage ait été perdu, Cendrars fera toujours figurer ce titre en tête de sa bibliographie. Finalement, une des 14 plaquettes sera retrouvée chez un bouquiniste, à Sofia, en 1995 ! Après des séjours en Belgique et à Paris, il retourne à Saint-Pétersbourg puis part rejoindre Féla qui l'a précédé à New York. Désormais certain de sa vocation, il se consacre entièrement à l'écriture, à la poésie. Il écrit *Les Pâques à New York*, œuvre que pour la première fois il signe Blaise Cendrars. Dès son retour à Paris en juillet 1912, il l'envoie à Guillaume Apollinaire, le poète et homme de lettres qu'il admire et qui deviendra un ami. Bientôt, Blaise rencontre les artistes d'avant-garde qui, comme lui, cherchent à exprimer par leurs créations les fondamentales transformations du monde moderne. Ce sont les Delaunay, Chagall, Léger, Picasso, Soutine, Survage... En 1913, paraît la surprenante édition de la *Prose du Transsibérien et de la petite Jehanne de France*, avec les « compositions simultanées » de Sonia Delaunay : c'est un livre qui se déplie en une bande de parchemin de deux mètres et dont le tirage initial sera de 150 exemplaires, atteignant ainsi la hauteur de la Tour Eiffel. A la déclaration de la guerre, en 1914, il est engagé volontaire, intégré dans un régiment de la Légion étrangère. Gravement blessé, le 28 septembre 1915, durant la grande offensive de Champagne, il est amputé du bras droit. En 1916, il acquiert la nationalité française. Un de ses premiers écrits de la main gauche est *La guerre au Luxembourg*, illustré par Kisling, ironique poème décrivant les enfants jouant à la guerre dans ce jardin de Paris, puis suit *La fin du monde filmée par l'ange Notre-Dame* qui sera publié en 1919, illustré par Fernand Léger. En 1917, il rencontre Raymone Duchâteau, une jeune actrice qui lui inspirera jusqu'à la fin de sa vie un amour idéalisé. En 1918, il prend la direction littéraire des Éditions de la Sirène, où il compte son ami Jean Cocteau parmi ses collaborateurs et où il publie son troisième long poème, *Le Panama ou les aventures de mes sept oncles*. Les *Dix-neuf poèmes élastiques* paraissent en 1919. A la suite de son *Anthologie nègre* (1920), il publiera, en 1928, les *Petits contes nègres pour les enfants des blancs.* Engagé par Abel Gance comme figurant dans le film *J'accuse* (1918), il devient son assistant pour le tournage de *La Roue* en 1920, puis se rend aux studios de Rome pour tenter de réaliser son propre film, *La Vénus noire,* qui ne sera pas terminé. A son retour à Paris, il prépare *La Création du monde* pour la compagnie des Ballets suédois, avec Darius Milhaud pour la musique et Fernand léger pour les décors et les costumes. Ce ballet donné en 1923 au théâtre des Champs-Élysées remporte un remarquable succès. Après avoir remis à un éditeur le manuscrit des poèmes *Kodak. Documentaire,* Cendrars s'embarque pour le Brésil, invité par le mécène Paul Prado et les artistes et écrivains du mouvement « modernistas ». Le Brésil, où il retournera séjourner au cours de plusieurs années, deviendra pour lui une importante source d'inspiration. Pendant les traversées de 1924, aller et retour, il écrit quotidiennement *Feuilles de route,* des « cartes postales » dira-t-il, un poésie nouvelle née de ses observations et expériences instantanées, livre illustré par l'artiste brésilienne Tarsila. C'est l'année où, dans la petite « maison des champs » du Tremblay-sur-Mauldre, proche de Paris, que Raymone laisse à sa disposition, il travaille à son premier roman *L'Or, la merveilleuse histoire du général August Suter,* publié en 1925, et qui, immédiatement traduit en plus dix langues, gagne une réputation internationale. Deux romans suivent, qui, par la nouveauté de l'écriture et la violence des sujets, étonnent la critique : *Moravagine*, en 1926, et *Dan Yack* (ce dernier, à sa première parution en deux parties en 1929, est intitulé *Le Plan de l'Aiguille* suivi de *Les Confessions de Dan Yack*). Vers 1930, intéressé par le grand reportage, il réalise des enquêtes pour *Paris-Soir*, qui seront ensuite publiées en volumes : *Rhum*, la vie de Jean Galmot, homme d'affaires et politicien, *Hollywood la Mecque du cinéma*, le *Panorama de la pègre*, ou encore le récit du voyage inaugural du paquebot *Normandie* entre Le Havre et New York en 1936. En 1934, il rencontre l'écrivain américain Henry Miller, qu'il fera reconnaître en France par un article enthousiaste. C'est l'époque, où renouvelant une fois de plus son style, il écrit trois volumes de nouvelles : *Histoires vraies, La Vie dangereuse D'Oultremer à Indigo*. En 1939, à la déclaration de la guerre, il s'engage comme correspondant auprès de l'armée anglaise. Mais en juin 1940, profondément choqué par l'Armistice et l'occupation de la France par les Allemands, attristé par le sort de ses fils prisonniers en Allemagne, il se retire à Aix-en-Provence et cesse d'écrire jusqu'en 1943 lorsque, reprenant espoir, il époussette sa machine et se remet au travail de toutes ses forces. C'est cette même année que meurt sa femme Féla dont il avait divorcé en 1938. Une première édition de ses *Poésies complètes* paraît en 1944 et vont suivre quatre volumes de « mémoires sans être des mémoires », ainsi qu'il les caractérise : *L'Homme foudroyé* en 1945, puis, la paix revenue, il termine *La Main coupée* en 1946, *Bourlinguer* en 1948 et enfin *Le Lotissement du ciel* en 1949. Au bout de trois années de silence et de six années de vie ascétique entièrement vouées à l'écriture, Blaise le solitaire retrouve Raymone. Après 32 ans d'amitié, ils décident de se marier et de s'installer à Paris. A partir de 1950, Cendrars réalise des pièces pour la radio : *Films sans images*, puis des entretiens radiophoniques qui seront publiés en volume : *Blaise Cendrars vous parle*, et surtout – à 69 ans – met ses dernières énergies dans la recherche d'un nouveau mode d'écriture adapté à son dernier roman, *Emmène-moi au bout du monde !*... qui paraîtra en 1956. Terrassé par deux attaques d'hémiplégie consécutives, Blaise Cendrars meurt le 21 janvier 1961. Ses cendres reposent dans le petit cimetière champêtre du Tremblay-sur-Mauldre.

« *LA VIE DE LA POÉSIE* »

Pour l'enfant révolté, renfermé, souffrant de la mésentente de ses parents, qu'est le jeune Freddy Sauser, la lecture est un moyen d'échapper aux difficultés familiales et devient vite une passion, tout comme la musique qui le transporte « ailleurs ». Il lit Jules Verne, *Les Filles du feu* de Gérard de Nerval, des journaux, des revues. Quand il s'éloigne et rompt avec sa famille lors du voyage en Russie, il s'imprègne de tout ce qu'il a vu pour composer huit ans plus tard la *Prose du Transsibérien et de la petite Jehanne de France*, et toujours, il lit. Il commente ses lectures, Taine, Dante, Tolstoï, Maupassant, Balzac, Tourgueniev, Dostoïevski, etc. Étudiant à Berne, et grâce à Féla qui croit en lui et en son exceptionnel talent, il prend conscience de sa vocation d'écrivain. A vingt ans, il choisit Remy de Gourmont pour maître. A vingt et un ans, il écrit des poèmes qui portent la marque du symbolisme. Tout en exerçant des petits métiers pour vivre, que ce soit à Bruxelles, à Paris, il travaille, sans relâche : « Écrire, tout de suite, sans retard, régulièrement. » A New York il poursuit ses inaltérables résolutions. « Je n'ai qu'une pensée : écrire ! » Fébrilement, il compose *Les Pâques à New York* et devient« Blaise Cendrars » : « Je suis le premier de mon nom, dit-il, puisque c'est moi qui l'ai inventé de toutes pièces. » De retour à Paris, il fonde une revue *Les Hommes nouveaux*, soucieux de créer un mouvement culturel ouvert au monde moderne. Apollinaire, enthousiasmé par *Les Pâques à New York*, déclare : « … c'est le meilleur de tous les poèmes publiés dans le *Mercure* depuis dix ans. » Juste avant la guerre, Cendrars compose les *Dix-Neuf poèmes élastiques*, étonnants, provocateurs, et *Le Panama ou les aventures de mes sept oncles*, des textes d'une grande liberté d'inspiration et d'expression. Une poésie de ferveur, d'ouverture au monde, aux sensations, rythmée, vibrante. Après la guerre, il assiste aux débuts du dadaïsme et du surréalisme, mais garde ses distances. Devenu éditeur, passionné de cinéma, il compose *Kodak (Documentaire)* qui se présente comme des « instantanés » élaborés à partir de passages du *Mystérieux docteur Cornélius* de Gustave le Rouge. Poésie en mouvement marquée par ce langage nouveau qu'est le cinéma, avec « …un souci du détail neuf, le terme juste, exact, claquant comme un coup de fouet et qui fait que la pensée se cabre.» (Cendrars). C'est aussi le temps des voyages, des départs et des retours. « Quand tu aimes il faut partir », déclare-t-il dans un célèbre poème. Invité au Brésil en 1924, il entreprend d'écrire quotidiennement les *Feuilles de route,* des textes pleins de saveurs et de couleurs qui donnent envie de découvrir le monde. Le Brésil devient sa deuxième patrie spirituelle, source de séjours régénérateurs. Cendrars disait avoir pris congé de la poésie en 1917, après l'expérience de la guerre. S'il privilégie le roman, le reportage, les nouvelles, les mémoires, il n'y a cependant pas de rupture. Toute son œuvre est celle d'un poète, prise dans le mouvement perpétuel de l'écriture et de l'élan poétique. Il parlait lui-même d'une poésie anti-poétique (à propos de *Au cœur du monde*), car « loin de tout formalisme, de toute pose, elle impose la force de la vie » (Jacques-Henry Lévesque). Elle chante la beauté du monde, le bonheur d'exister. « …Chanter. Oui. La création, la vie », disait Blaise Cendrars.

En ce temps-là j'étais en mon adolescence
J'avais à peine seize ans et je ne me souvenais déjà plus de
mon enfance
J'étais à 16 000 lieues du lieu de ma naissance
J'étais à Moscou, dans la ville des mille et trois clochers et des
sept gares
Et je n'avais pas assez des sept gares et des mille et trois tours
Car mon adolescence était alors si ardente et si folle
Que mon cœur, tour à tour, brûlait comme le temple d'Éphèse
ou comme la Place Rouge de Moscou
Quand le soleil se couche.
Et mes yeux éclairaient des voies anciennes.
Et j'étais déjà si mauvais poète
Que je ne savais pas aller jusqu'au bout.

Le Kremlin était comme un immense gâteau tartare
Croustillé d'or,
Avec les grandes amandes des cathédrales toutes blanches
Et l'or mielleux des cloches...
Un vieux moine me lisait la légende de Novgorode
J'avais soif
Et je déchiffrais des caractères cunéiformes
Puis, tout à coup, les pigeons du Saint-Esprit s'envolaient sur
la place
Et mes mains s'envolaient aussi, avec des bruissements d'albatros
Et ceci, c'était les dernières réminiscences du dernier jour
Du tout dernier voyage
Et de la mer.

Pourtant, j'étais fort mauvais poète.
Je ne savais pas aller jusqu'au bout.
J'avais faim
Et tous les jours et toutes les femmes dans les cafés et tous
les verres

J'aurais voulu les boire et les casser
Et toutes les vitrines et toutes les rues
Et toutes les maisons et toutes les vies
Et toutes les roues des fiacres qui tournaient en tourbillons
sur les mauvais pavés
J'aurais voulu les plonger dans une fournaise de glaives
Et j'aurais voulu broyer tous les os
Et arracher toutes les langues
Et liquéfier tous ces grands corps étranges et nus sous les
vêtements qui m'affolent...
Je pressentais la venue du grand Christ rouge de la révolution
russe...
Et le soleil était une mauvaise plaie
Qui s'ouvrait comme un brasier.

En ce temps-là j'étais en mon adolescence
J'avais à peine seize ans et je ne me souvenais déjà plus de ma
naissance
J'étais à Moscou, où je voulais me nourrir de flammes
Et je n'avais pas assez des tours et des gares que constellaient mes
yeux
En Sibérie tonnait le canon c'était la guerre
La faim le froid la peste le choléra
Et les eaux limoneuses de l'Amour charriaient des millions
de charognes
Dans toutes les gares je voyais partir tous les derniers trains
Personne ne pouvait plus partir car on ne délivrait plus de billets
Et les soldats qui s'en allaient auraient bien voulu rester...
Un vieux moine me chantait la légende de Novgorode.

Moi, le mauvais poète qui ne voulais aller nulle part, je pouvais
aller partout
Et aussi les marchands avaient encore assez d'argent
Pour aller tenter faire fortune.

Leur train partait tous les vendredis matin.
On disait qu'il y avait beaucoup de morts.
L'un emportait cent caisses de réveils et de coucous de la Forêt-Noire
Un autre, des boîtes à chapeaux des cylindres et un assortiment
de tire-bouchons de Sheffield
Un autre, des cercueils de Malmoë remplis de boîtes de conserve
et de sardines à l'huile.
Puis il y avait beaucoup de femmes
Des femmes des entre-jambes à louer qui pouvaient aussi servir
Des cercueils
Elles étaient toutes patentées
On disait qu'il y avait beaucoup de morts là-bas
Elles voyageaient à prix réduits
Et avaient toutes un compte-courant à la banque.

Or, un vendredi matin, ce fut aussi mon tour
On était en décembre
Et je partis moi aussi pour accompagner le voyageur en bijouterie
qui se rendait à Kharbine
Nous avions deux coupés dans l'express et 34 coffres de joaillerie
de Pforzheim
De la camelote allemande « *Made in Germany* »
Il m'avait habillé de neuf, et en montant dans le train, j'avais
perdu un bouton
– Je m'en souviens, je m'en souviens, j'y ai souvent pensé depuis –
Je couchais sur les coffres et j'étais tout heureux de pouvoir jouer
avec le browning nickelé qu'il m'avait aussi donné

J'étais très heureux insouciant
Je croyais jouer aux brigands
Nous avions volé le trésor de Golconde
Et nous allions grâce au Transsibérien le cacher de l'autre côté
du monde

Je devais le défendre contre les voleurs de l'Oural qui avaient
attaqué les saltimbanques de Jules Verne
Contre les Khoungouzes les boxers de la Chine
Et les enragés petits Mongols du Grand-Lama
Alibaba et les quarante voleurs
Et les fidèles du terrible Vieux de la montagne
Et surtout, contre les plus modernes
Les rats d'hôtel
Et les spécialistes des express internationaux.

Et pourtant, et pourtant
J'étais triste comme un enfant
Les rythmes du train
La « *moëlle chemin-de-fer* » des psychiatres américains
Le bruit des portes des voix des essieux grinçant sur les rails
congelés
Le ferlin d'or de mon avenir
Mon browning le piano et les jurons des joueurs de cartes dans
le compartiment d'à côté
L'épatante présence de Jeanne
L'homme aux lunettes bleues qui se promenait nerveusement
dans le couloir et qui me regardait en passant
Froissis de femmes
Et le sifflement de la vapeur
Et le bruit éternel des roues en folie dans les ornières du ciel
Les vitres sont givrées
Pas de nature !
Et derrière, les plaines sibériennes le ciel bas et les grandes ombres
des Taciturnes qui montent et qui descendent
Je suis couché dans un plaid
Bariolé
Comme ma vie
Et ma vie ne me tient pas plus chaud que ce châle
Écossais

Et l'Europe tout entière aperçue au coupe-vent d'un express
à toute vapeur
N'est pas plus riche que ma vie
Ma pauvre vie
Ce châle
Effiloché sur des coffres remplis d'or
Avec lesquels je roule
Que je rêve
Que je fume
Et la seule flamme de l'univers
Est une pauvre pensée...

Du fond de mon cœur des larmes me viennent
Si je pense, amour, à ma maîtresse
Elle n'est qu'une enfant, que je trouvai ainsi
Pâle, immaculée, au fond d'un bordel.

Ce n'est qu'une enfant, blonde, rieuse et triste,
Elle ne sourit pas et ne pleure jamais ;
Mais au fond de ses yeux, quand elle vous y laisse boire,
Tremble un doux lys d'argent, la fleur du poète.

Elle est douce et muette, sans aucun reproche,
Avec un long tressaillement à votre approche;
Mais quand moi je lui viens, de-ci, de-là, de fête,
Elle fait un pas, puis ferme les yeux – et fait un pas.

Car elle est mon amour, et les autres femmes
N'ont que des robes d'or sur de grands corps de flammes,
Ma pauvre amie est si esseulée,
Elle est toute nue, n'a pas de corps – elle est trop pauvre.

Elle n'est qu'une fleur candide, fluette,
La fleur du poète, un pauvre lys d'argent,

Tout froid, tout seul, et déjà si fané
Que les larmes me viennent si je pense à son cœur.

Et cette nuit est pareille à cent mille autres quand un train file
 dans la nuit.
– Les comètes tombent –
Et que l'homme et la femme, même jeunes, s'amusent à faire
 l'amour.

Le ciel est comme la tente déchirée d'un cirque pauvre dans un
 petit village de pêcheurs
En Flandres
Le soleil est un fumeux quinquet
Et tout au haut d'un trapèze une femme fait la lune.
La clarinette le piston une flûte aigre et un mauvais tambour
Et voici mon berceau
Mon berceau
Il était toujours près du piano quand ma mère comme Madame
 Bovary jouait les sonates de Beethoven
J'ai passé mon enfance dans les jardins suspendus de Babylone
Et l'école buissonnière, dans les gares devant les trains
 en partance
Maintenant, j'ai fait courir tous les trains derrière moi
Bâle-Tombouctou
J'ai aussi joué aux courses à Auteuil et à Longchamp
Paris-New York
Maintenant, j'ai fait courir tous les trains tout le long de ma vie
Madrid-Stockholm
Et j'ai perdu tous mes paris
Il n'y a plus que la Patagonie, la Patagonie, qui convienne à mon
 immense tristesse, la Patagonie, et un voyage dans les mers
 du Sud
Je suis en route
J'ai toujours été en route

Je suis en route avec la petite Jehanne de France
Le train fait un saut périlleux et retombe sur toutes ses roues
Le train retombe sur ses roues
Le train retombe toujours sur toutes ses roues

« Blaise, dis, sommes-nous bien loin de Montmartre ? »

Nous sommes loin, Jeanne, tu roules depuis sept jours
Tu es loin de Montmartre, de la Butte qui t'a nourrie
du Sacré-Cœur contre lequel tu t'es blottie
Paris a disparu et son énorme flambée
Il n'y a plus que les cendres continues
La pluie qui tombe
La tourbe qui se gonfle
La Sibérie qui tourne
Les lourdes nappes de neige qui remontent
Et le grelot de la folie qui grelotte comme un dernier désir
dans l'air bleui
Le train palpite au cœur des horizons plombés
Et ton chagrin ricane...

« Dis, Blaise, sommes-nous bien loin de Montmartre ? »

Les inquiétudes
Oublie les inquiétudes
Toutes les gares lézardées obliques sur la route
Les fils télégraphiques auxquels elles pendent
Les poteaux grimaçants qui gesticulent et les étranglent
Le monde s'étire s'allonge et se retire comme un harmonica
qu'une main sadique tourmente
Dans les déchirures du ciel les locomotives en furie
S'enfuient
Et dans les trous
Les roues vertigineuses les bouches les voix

Et les chiens du malheur qui aboient à nos trousses
Les démons sont déchaînés
Ferrailles
Tout est un faux accord
Le *broun-roun-roun* des roues
Chocs
Rebondissements
Nous sommes un orage sous le crâne d'un sourd...

« Dis, Blaise, sommes-nous bien loin de Montmartre ? »

Mais oui, tu m'énerves, tu le sais bien, nous sommes bien loin
La folie surchauffée beugle dans la locomotive
La peste le choléra se lèvent comme des braises ardentes sur
notre route.
Nous disparaissons dans la guerre en plein dans un tunnel
La faim, la putain, se cramponne aux nuages en débandade
Et fiente des batailles en tas puants de morts
Fais comme elle, fais ton métier...

« Dis, Blaise, sommes-nous bien loin de Montmartre ? »

Oui, nous le sommes, nous le sommes
Tous les boucs émissaires ont crevé dans ce désert
Entends les mauvaises cloches de ce troupeau galeux
Tomsk Tchéliabinsk Kainsk Obi Taichet Verkné-Oudinsk
Kourgane Samara Pensa-Touloune
La mort en Mandchourie
Est notre débarcadère est notre dernier repaire
Ce voyage est terrible
Hier matin
Ivan Oulitch avait les cheveux blancs
Et Kolia Nicolaï Ivanovitch se ronge les doigts depuis 15 jours...
Fais comme elles la Mort la Famine fais ton métier

Ça coûte cent sous, en transsibérien ça coûte cent roubles
Enfièvre les banquettes et rougeoie sous la table
Le diable est au piano
Ses doigts noueux excitent toutes les femmes
La Nature
Les Gouges
Fais ton métier
Jusqu'à Kharbine...

« Dis, Blaise, sommes-nous bien loin de Montmartre ? »

Non mais... fiche-moi la paix... laisse-moi tranquille
Tu as les hanches angulaires
Ton ventre est aigre et tu as la chaude-pisse
C'est tout ce que Paris a mis dans ton giron
C'est aussi un peu d'âme... car tu es malheureuse
J'ai pitié j'ai pitié viens vers moi sur mon cœur
Les roues sont les moulins à vent du pays de Cocagne
Et les moulins à vent sont les béquilles qu'un mendiant
fait tournoyer

Nous sommes les culs-de-jatte de l'espace
Nous roulons sur nos quatre plaies
On nous a rogné les ailes
Les ailes de nos sept péchés
Et tous les trains sont les bilboquets du diable
Basse-cour
Le monde moderne
La vitesse n'y peut mais
Le monde moderne
Les lointains sont par trop loin
Et au bout du voyage c'est terrible d'être un homme
avec une femme

« Blaise, dis, sommes-nous bien loin de Montmartre ? »

J'ai pitié j'ai pitié viens vers moi je vais te conter une histoire
Viens dans mon lit
Viens sur mon cœur
Je vais te conter une histoire...

Oh viens ! viens !

Aux Fidji règne l'éternel printemps
La paresse
L'amour pâme les couples dans l'herbe haute et la chaude
syphilis rôde sous les bananiers
Viens dans les îles perdues du Pacifique !
Elles ont nom du Phénix, des Marquises
Bornéo et Java
Et Célèbes à la forme d'un chat.

Nous ne pouvons pas aller au Japon
Viens au Mexique !
Sur ses hauts plateaux les tulipiers fleurissent
Les lianes tentaculaires sont la chevelure du soleil
On dirait la palette et les pinceaux d'un peintre
Des couleurs étourdissantes comme des gongs,
Rousseau y a été
Il y a ébloui sa vie.
C'est le pays des oiseaux
L'oiseau du paradis l'oiseau-lyre
Le toucan l'oiseau moqueur
Et le colibri niche au cœur des lys noirs
Viens !
Nous nous aimerons dans les ruines majestueuses d'un temple
aztèque
Tu seras mon idole

Une idole bariolée enfantine un peu laide et bizarrement étrange
Oh viens !

Si tu veux nous irons en aéroplane et nous survolerons le pays
des mille lacs,
Les nuits y sont démesurément longues
L'ancêtre préhistorique aura peur de mon moteur
J'atterrirai
Et je construirai un hangar pour mon avion avec les os fossiles
de mammouth
Le feu primitif réchauffera notre pauvre amour
Samowar
Et nous nous aimerons bien bourgeoisement près du pôle
Oh viens !

Jeanne Jeannette Ninette nini ninon nichon
Mimi mamour ma poupoule mon Pérou
Dodo dondon
Carotte ma crotte
Chouchou p'tit-cœur
Cocotte
Chérie p'tite-chèvre
Mon p'tit-péché mignon
Concon
Coucou
Elle dort.

Elle dort
Et de toutes les heures du monde elle n'en a pas gobé une seule
Tous les visages entrevus dans les gares
Toutes les horloges
L'heure de Paris l'heure de Berlin l'heure de Saint-Pétersbourg
et l'heure de toutes les gares
Et à Oufa, le visage ensanglanté du canonnier

Et le cadran bêtement lumineux de Grodno
Et l'avance perpétuelle du train
Tous les matins on met les montres à l'heure
Le train avance et le soleil retarde
Rien n'y fait, j'entends les cloches sonores
Le gros bourdon de Notre-Dame
La cloche aigrelette du Louvre qui sonna la Barthélemy
Les carillons rouillés de Bruges-la-Morte
Les sonneries électriques de la bibliothèque de New York
Les campanes de Venise
Et les cloches de Moscou, l'horloge de la Porte-Rouge qui me
comptait les heures quand j'étais dans un bureau
Et mes souvenirs
Le train tonne sur les plaques tournantes
Le train roule
Un gramophone grasseye une marche tzigane
Et le monde comme l'horloge du quartier juif de Prague tourne
éperdument à rebours.

Effeuille la rose des vents
Voici que bruissent les orages déchaînés
Les trains roulent en tourbillon sur les réseaux enchevêtrés
Bilboquets diaboliques
Il y a des trains qui ne se rencontrent jamais
D'autres se perdent en route
Les chefs de gare jouent aux échecs
Tric-trac
Billard
Caramboles
Paraboles
La voie ferrée est une nouvelle géométrie
Syracuse
Archimède
Et les soldats qui l'égorgèrent

Et les galères
Et les vaisseaux
Et les engins prodigieux qu'il inventa
Et toutes les tueries
L'histoire antique
L'histoire moderne
Les tourbillons
Les naufrages
Même celui du Titanic que j'ai lu dans le journal
Autant d'images associations que je ne peux pas développer
dans mes vers
Car je suis encore fort mauvais poète
Car l'univers me déborde
Car j'ai négligé de m'assurer contre les accidents de chemin de fer
Car je ne sais pas aller jusqu'au bout
Et j'ai peur.

J'ai peur
Je ne sais pas aller jusqu'au bout
Comme mon ami Chagall je pourrais faire une série
de tableaux déments
Mais je n'ai pas pris de notes en voyage
« Pardonnez-moi mon ignorance
« Pardonnez-moi de ne plus connaître l'ancien jeu des vers »
Comme dit Guillaume Apollinaire
Tout ce qui concerne la guerre on peut le lire dans les *Mémoires*
de Kouropatkine
Ou dans les journaux japonais qui sont aussi cruellement illustrés
A quoi bon me documenter
Je m'abandonne
Aux sursauts de ma mémoire...

A partir d'Irkoutsk le voyage devint beaucoup trop lent
Beaucoup trop long
Nous étions dans le premier train qui contournait le lac Baïkal
On avait orné la locomotive de drapeaux et de lampions
Et nous avons quitté la gare aux accents tristes de l'hymne au Tsar.
Si j'étais peintre je déverserais beaucoup de rouge, beaucoup
de jaune sur la fin de ce voyage
Car je crois bien que nous étions tous un peu fous
Et qu'un délire immense ensanglantait les faces énervées de mes
compagnons de voyage
Comme nous approchions de la Mongolie
Qui ronflait comme un incendie.
Le train avait ralenti son allure
Et je percevais dans le grincement perpétuel des roues
Les accents fous et les sanglots
D'une éternelle liturgie

J'ai vu
J'ai vu les trains silencieux les trains noirs qui revenaient
de l'Extrême-Orient et qui passaient en fantômes
Et mon œil, comme le fanal d'arrière, court encore derrière ces
trains
A Talga 100 000 blessés agonisaient faute de soins
J'ai visité les hôpitaux de Krasnoïarsk
Et à Khilok nous avons croisé un long convoi de soldats fous
J'ai vu dans les lazarets des plaies béantes des blessures qui
saignaient à pleines orgues
Et les membres amputés dansaient autour ou s'envolaient dans
l'air rauque
L'incendie était sur toutes les faces dans tous les cœurs
Des doigts idiots tambourinaient sur toutes les vitres
Et sous la pression de la peur les regards crevaient comme des
abcès
Dans toutes les gares on brûlait tous les wagons

Et j'ai vu
J'ai vu des trains de 60 locomotives qui s'enfuyaient à toute vapeur pourchassés par les horizons en rut et des bandes de corbeaux qui s'envolaient désespérément après
Disparaître
Dans la direction de Port-Arthur

A Tchita nous eûmes quelques jours de répit
Arrêt de cinq jours vu l'encombrement de la voie
Nous le passâmes chez Monsieur Iankéléwitch qui voulait me donner sa fille unique en mariage
Puis le train repartit.
Maintenant c'était moi qui avais pris place au piano et j'avais mal aux dents
Je revois quand je veux cet intérieur si calme le magasin et les yeux de la fille qui venait le soir dans mon lit
Moussorgsky
Et les lieder de Hugo Wolf
Et les sables du Gobi
Et à Khaïlar une caravane de chameaux blancs
Je crois bien que j'étais ivre durant plus de 500 kilomètres
Mais j'étais au piano et c'est tout ce que je vis
Quand on voyage on devrait fermer les yeux
Dormir
J'aurais tant voulu dormir
Je reconnais tous les pays les yeux fermés à leur odeur
Et je reconnais tous les trains au bruit qu'ils font
Les trains d'Europe sont à quatre temps tandis que ceux d'Asie sont à cinq ou sept temps
D'autres vont en sourdine sont des berceuses
Et il y en a qui dans le bruit monotone des roues me rappellent la prose lourde de Maeterlinck
J'ai déchiffré tous les textes confus des roues et j'ai rassemblé les éléments épars d'une violente beauté

Que je possède
Et qui me force

Tsitsikar et Kharbine
Je ne vais pas plus loin
C'est la dernière station
Je débarquai à Kharbine comme on venait de mettre le feu
aux bureaux de la Croix-Rouge

Ô Paris
Grand foyer chaleureux avec les tisons entrecroisés de tes rues
et tes vieilles maisons qui se penchent au-dessus
et se réchauffent
Comme des aïeules
Et voici des affiches du rouge du vert multicolores comme mon
passé bref du jaune
Jaune la fière couleur des romans de la France
J'aime me frotter dans les grandes villes aux autobus en marche
Ceux de la ligne Saint-Germain-Montmartre m'emportent
à l'assaut de la Butte
Les moteurs beuglent comme les taureaux d'or
Les vaches du crépuscule broutent le Sacré-Cœur
Ô Paris
Gare centrale débarcadère des volontés carrefour des inquiétudes
Seuls les marchands de couleur ont encore un peu de lumière
sur leur porte
La Compagnie Internationale des Wagons-Lits et des Grands
Express Européens m'a envoyé son prospectus
C'est la plus belle église du monde
J'ai des amis qui m'entourent comme des garde-fous
Ils ont peur quand je pars que je ne revienne plus
Toutes les femmes que j'ai rencontrées se dressent aux horizons
Avec les gestes piteux et les regards tristes des sémaphores
sous la pluie

Bella, Agnès, Catherine et la mère de mon fils en Italie
Et celle, la mère de mon amour en Amérique
Il y a des cris de sirène qui me déchirent l'âme
Là-bas en Mandchourie un ventre tressaille encore comme dans
 un accouchement
Je voudrais
Je voudrais n'avoir jamais fait mes voyages
Ce soir un grand amour me tourmente
Et malgré moi je pense à la petite Jehanne de France.
C'est par un soir de tristesse que j'ai écrit ce poème
 en son honneur
La petite prostituée
Je suis triste je suis triste
J'irai au *Lapin agile* me ressouvenir de ma jeunesse perdue
Et boire des petits verres
Puis je rentrerai seul

Paris

Ville de la Tour unique du Grand Gibet et de la Roue

Paris, 1913.

En marge de la Prose du Transsibérien

LA PROSE DU TRANSSIBÉRIEN ET DE LA PETITE JEHANNE DE FRANCE

(extrait)

(...)

La littérature fait partie de la vie. Ce n'est pas quelque chose « à part ». Je n'écris pas par métier. Vivre n'est pas un métier. Il n'y a donc pas d'artistes. Les organismes vivants ne travaillent pas. Je n'aime pas la sueur de mon front malgré les avis salutaires d'un livre par trop fameux. Il n'y a pas de spécialisations. Je ne suis pas homme de lettres. Je dénonce les bûcheurs et les arrivistes. Il n'y a pas d'écoles. En Grèce ou dans les geôles de Tsintsin, j'écrirais tout autrement. J'ai fait mes plus beaux poèmes dans les grandes villes, parmi cinq millions d'hommes – ou à cinq mille lieues sous les mers en compagnie de Jules Verne, pour ne pas oublier les plus beaux jeux de mon enfance. Toute vie n'est qu'un poème, un mouvement. Je ne suis qu'un mot, un verbe, une profondeur, dans le sens le plus sauvage, le plus mystique, le plus vivant.

(...)

ZÉNITH

Record !
Midi bat
Sur son enclume solaire
Les rayons de la lumière
Zénith

Saint-Cloud, août 1913.

A Edmond Bertrand
barman
au Matachine

Des livres
Il y a des livres qui parlent du Canal de Panama
Je ne sais pas ce que disent les catalogues des bibliothèques
Et je n'écoute pas les journaux financiers
Quoique les bulletins de la Bourse soient notre prière quotidienne

Le Canal de Panama est intimement lié à mon enfance...
Je jouais sous la table
Je disséquais les mouches
Ma mère me racontait les aventures de ses sept frères
De mes sept oncles
Et quand elle recevait des lettres
Éblouissement !
Ces lettres avec les beaux timbres exotiques qui portent
    les vers de Rimbaud en exergue
Elle ne me racontait rien ce jour-là
Et je restais triste sous ma table

C'est aussi vers cette époque que j'ai lu l'histoire du
    tremblement de terre de Lisbonne
Mais je crois bien
Que le crach du Panama est d'une importance plus universelle
Car il a bouleversé mon enfance.

J'avais un beau livre d'images
Et je voyais pour la première fois
La baleine
Le gros nuage
Le morse
Le soleil

Le grand morse
L'ours le lion le chimpanzé le serpent à sonnette et la mouche
La mouche
La terrible mouche
– Maman, les mouches ! les mouches ! et les troncs d'arbres !
– Dors, dors, mon enfant.
Ahasvérus est idiot

J'avais un beau livre d'images
Un grand lévrier qui s'appelait Dourak
Une bonne anglaise
Banquier
Mon père perdit les 3/4 de sa fortune
Comme nombre d'honnêtes gens qui perdirent leur argent
  dans ce crach,

Mon père
Moins bête
Perdait celui des autres,
Coups de revolver,
Ma mère pleurait
Et ce soir-là on m'envoya coucher avec la bonne anglaise

Puis au bout d'un nombre de jours bien long...
Nous avions dû déménager
Et les quelques chambres de notre petit appartement étaient
  bourrées de meubles
Nous n'étions plus dans notre villa de la côte
J'étais seul des jours entiers
Parmi les meubles entassés
Je pouvais même casser de la vaisselle
Fendre les fauteuils
Démolir le piano...
Puis au bout d'un nombre de jours bien long
Vint une lettre d'un de mes oncles

C'est le crach du Panama qui fit de moi un poète !
C'est épatant
Tous ceux de ma génération sont ainsi
Jeunes gens
Qui ont subi des ricochets étranges
On ne joue plus avec des meubles
On ne joue plus avec des vieilleries
On casse toujours et partout la vaisselle
On s'embarque
On chasse les baleines
On tue les morses
On a toujours peur de la mouche tsé-tsé
Car nous n'aimons pas dormir

L'ours le lion le chimpanzé le serpent à sonnette m'avaient
appris à lire
(...)

Paris et sa Banlieue
Saint-Cloud, Sèvres, Montmorency, Courbevoie, Bougival, Rueil, Montrouge, Saint-Denis, Vincennes, Étampes, Melun, Saint-Martin, Méréville, Barbizon, Forges-en-Bière.

juin 1913-juin 1914

1

JOURNAL

(...)
J'ai passé une triste journée à penser à mes amis
Et à lire le journal
Christ
Vie crucifiée dans le journal grand ouvert que je tiens les bras tendus
Envergures
Fusées
Ébullition
Cris.
On dirait un aéroplane qui tombe.
C'est moi.

Passion
Feu
Roman-feuilleton
Journal
On a beau ne pas vouloir parler de soi-même
Il faut parfois crier

Je suis l'autre
Trop sensible

Août 1913.

2

TOUR

(...)
Ô Tour Eiffel !
Je ne t'ai pas chaussée d'or
Je ne t'ai pas fait danser sur les dalles de cristal
Je ne t'ai pas vouée au Python comme une vierge de Carthage
Je ne t'ai pas revêtue du péplum de la Grèce
Je ne t'ai jamais fait divaguer dans l'enceinte des menhirs
Je ne t'ai pas nommée Tige de David ni Bois de la Croix
Lignum Crucis
Ô Tour Eiffel
Peu d'artifice géant de l'Exposition Universelle !

Sur le Gange
À Bénarès
Parmi les toupies onanistes des temples hindous
Et les cris colorés des multitudes de l'Orient
Tu te penches, gracieux Palmier !
C'est toi qui à l'époque légendaire du peuple hébreu
Confondis la langue des hommes
Ô Babel !
Et quelque mille ans plus tard, c'est toi qui retombais en langues de feu sur les Apôtres rassemblés dans ton église
En pleine mer tu es un mât
Et au Pôle-Nord
Tu resplendis avec toute la magnificence de l'aurore boréale de ta télégraphie sans fil
Les lianes s'enchevêtrent aux eucalyptus
Et tu flottes, vieux tronc, sur le Mississippi
Quand

Ta gueule s'ouvre
Et un caïman saisit la cuisse d'un nègre
En Europe tu es comme un gibet
(Je voudrais être la tour, pendre à la Tour Eiffel !)
Et quand le soleil se couche derrière toi
La tête de Bonnot roule sous la guillotine
Au cœur de l'Afrique c'est toi qui cours
Girafe
Autruche
Boa
Équateur
Moussons
En Australie tu as toujours été tabou
Tu es la gaffe que le capitaine Cook employait pour diriger
son bateau d'aventuriers
Ô sonde céleste!
Pour le Simultané Delaunay, à qui je dédie ce poème,
Tu es le pinceau qu'il trempe dans la lumière
Gong tam-tam zanzibar bête de la jungle rayons-X express
bistouri symphonie
Tu es tout
Tour
Dieu antique
Bête moderne
Spectre solaire
Sujet de mon poème
Tour
Tour du monde
Tour en mouvement

Août 1913.

4

I. PORTRAIT

Il dort
Il est éveillé
Tout à coup, il peint
Il prend une église et peint avec une église
Il prend une vache et peint avec une vache
Avec une sardine
Avec des têtes, des mains, des couteaux
Il peint avec un nerf de bœuf
Il peint avec toutes les sales passions d'une petite ville juive
Avec toute la sexualité exacerbée de la province russe
Pour la France
Sans sensualité
Il peint avec ses cuisses
Il a les yeux au cul
Et c'est tout à coup votre portrait
C'est toi lecteur
C'est moi
C'est lui
C'est sa fiancée
C'est l'épicier du coin
La vachère
La sage-femme
Il y a des baquets de sang
On y lave les nouveau-nés
Des ciels de folie
Bouches de modernité
La Tour en tire-bouchon
Des mains
Le Christ
Le Christ c'est lui

Il a passé son enfance sur la Croix
Il se suicide tous les jours
Tout à coup il ne peint plus
Il était éveillé
Il dort maintenant
Il s'étrangle avec sa cravate
Chagall est étonné de vivre encore.

II. ATELIER

La Ruche
Escaliers, portes, escaliers
Et sa porte s'ouvre comme un journal
Couverte de cartes de visite
Puis elle se ferme.
Désordre, on est en plein désordre
Des photographies de Léger, des photographies de Tobeen, qu'on ne voit pas
Et au dos
Au dos
Des œuvres frénétiques
Esquisses, dessins, des œuvres frénétiques
Et des tableaux...
Bouteilles vides
« *Nous garantissons la pureté absolue de notre sauce Tomate* »
Dit une étiquette
La fenêtre est un almanach
Quand les grues gigantesques des éclairs vident les péniches du ciel à grand fracas et déversent des bannes de tonnerre
Il en tombe
Pêle-mêle

Des cosaques le Christ un soleil en décomposition
Des toits
Des somnambules des chèvres
(...)

Octobre 1913.

7

HAMAC

Onoto-visage
Cadran compliqué de la Gare Saint-Lazare
Apollinaire
Avance, retarde, s'arrête parfois.
Européen
Voyageur occidental
Pourquoi ne m'accompagnes-tu pas en Amérique ?
J'ai pleuré au débarcadère
New York

Les vaisseaux secouent la vaisselle
Rome Prague Londres Nice Paris
Oxo-Liebig fait frise dans ta chambre
Les livres en estacade

Les tromblons tirent à noix de coco
« Julie ou j'ai perdu ma rose »

Futuriste

Tu as longtemps écrit à l'ombre d'un tableau
A l'Arabesque tu songeais
Ô toi le plus heureux de nous tous
Car Rousseau a fait ton portrait
Aux étoiles
Les œillets du poète *Sweet Williams*

Apollinaire
1900-1911
Durant 12 ans seul poète de France

Décembre 1913.

12

F.I.A.T.

J'ai l'ouïe déchirée

J'envie ton repos
Grand paquebot des usines
A l'ancre
Dans la banlieue des villes

Je voudrais m'être vidé
Comme toi
Après ton accouchement
Les pneumatiques vessent dans mon dos
J'ai des pommettes électriques au bout des nerfs

Ta chambre blanche moderne nickelée
Le berceau
Les rares bruits de l'hôpital
Sainte Clothilde
Je suis toujours en fièvre
Paris-Adresses

Être à ta place
Tournant brusque !
C'est la première fois que j'envie une femme
Que je voudrais être femme
Être femme
Dans l'univers
Dans la vie

Être
Et s'ouvrir à l'avenir enfantin
Moi qui suis ébloui

Phares Blériot
Mise en marche automatique
Vois

Mon stylo caracole

Caltez !

Avril 1914.

13
AUX 5 COINS

Oser et faire du bruit
Tout est couleur mouvement explosion lumière
La vie fleurit aux fenêtres du soleil
Qui se fond dans ma bouche
Je suis mûr
Et je tombe translucide dans la rue

Tu parles, mon vieux

Je ne sais pas ouvrir les yeux ?
Bouche d'or
La poésie est en jeu.

Février 1914.

14

NATURES MORTES

pour Roger de la Fresnaye

Vert
Le gros trot des artilleurs passe sur la géométrie
Je me dépouille
Je ne serais bientôt qu'en acier
Sans l'équerre de la lumière
Jaune
Clairon de modernité
Le classeur américain
Est aussi sec et
Frais
Que vertes les campagnes premières
Normandie.
Et la table de l'architecte
Est ainsi strictement belle
Noir
Avec une bouteille d'encre de Chine
Et des chemises bleues
Bleu
Rouge
Puis il y a aussi un litre, un litre de sensualité
Et cette haute nouveauté
Blanc
Des feuilles de papier blanc

Avril 1914.

19
CONSTRUCTION

De la couleur, de la couleur et des couleurs...
Voici Léger qui grandit comme le soleil de l'époque tertiaire
Et qui durcit
Et qui fixe
La nature morte
La croûte terrestre
Le liquide
Le brumeux
Tout ce qui se ternit
La géométrie nuageuse
Le fil à plomb qui se résorbe
Ossification.
Locomotion.
Tout grouille
L'esprit s'anime soudain et s'habille à son tour comme les animaux
et les plantes
Prodigieusement
Et voici
La peinture devient cette chose énorme qui bouge
La roue
La vie
La machine
L'âme humaine
Une culasse de 75
Mon portrait

Février 1919.

HÔTEL NOTRE-DAME

Je suis revenu au Quartier
Comme au temps de ma jeunesse
Je crois que c'est peine perdue
Car rien en moi ne revit plus
De mes rêves de mes désespoirs
De ce que j'ai fait à dix-huit ans

On démolit des pâtés de maisons
On a changé le nom des rues
Saint-Séverin est mis à nu
La place Maubert est plus grande
Et la rue Saint-Jacques s'élargit

Je trouve cela beaucoup plus beau
Neuf et plus antique à la fois
C'est ainsi que m'étant fait sauter
La barbe et les cheveux tout courts
Je porte un visage d'aujourd'hui
Et le crâne de mon grand-père

C'est pourquoi je ne regrette rien
Et j'appelle les démolisseurs
Foutez mon enfance par terre
Ma famille et mes habitudes
Mettez une gare à la place
Ou laissez un terrain vague
Qui dégage mon origine

Je ne suis pas le fils de mon père
Et je n'aime que mon bisaïeul
Je me suis fait un nom nouveau
Visible comme une affiche bleue
Et rouge montée sur un échafaudage
Derrière quoi on édifie
Des nouveautés des lendemains
(...)

LE VENTRE DE MA MÈRE

C'est mon premier domicile
Il était tout arrondi
Bien souvent je m'imagine
Ce que je pouvais bien être...

Les pieds sur ton cœur maman
Les genoux tout contre ton foie
Les mains crispées au canal
Qui aboutissait à mon ventre

Le dos tordu en spirale
Les oreilles pleines les yeux vides
Tout recroquevillé tendu
La tête presque hors de ton corps

Mon crâne à ton orifice
Je jouis de ta santé
De la chaleur de ton sang
Des étreintes de papa

Bien souvent un feu hybride
Électrisait mes ténèbres
Un choc au crâne me détendait
Et je ruais sur ton cœur

Le grand muscle de ton vagin
Se resserrait alors durement
Je me laissais douloureusement faire
Et tu m'inondais de ton sang

Mon front est encore bosselé
De ces bourrades de mon père
Pourquoi faut-il se laisser faire
Ainsi à moitié étranglé ?

Si j'avais pu ouvrir la bouche
Je t'aurais mordu
Si j'avais pu déjà parler
J'aurais dit :

Merde, je ne veux pas vivre !
(...)

FAR-WEST
(extraits)

I. CUCUMINGO

L'hacienda de San-Bernardino
Elle est bâtie au centre d'une verdoyante vallée arrosée par une
multitude de petits ruisseaux venus des montagnes
circonvoisines
Les toits sont de tuiles rouges sous les ombrages des sycomores et
des lauriers

Les truites pullulent dans les ruisseaux
D'innombrables troupeaux paissent en liberté dans les grasses
prairies
Les vergers regorgent de fruits poires pommes raisins ananas
figues oranges
Et dans les potagers
Les légumes du vieux monde poussent à côté de ceux des
contrées tropicales

Le gibier abonde dans le canton
Le colin de Californie
Le lapin à queue de coton *cottontail*
Le lièvre aux longues oreilles *jackass*
La caille la tourterelle la perdrix
Le canard et l'oie sauvages
L'antilope
Il est vrai qu'on y rencontre encore le chat sauvage et le serpent
à sonnette *rattlesnake*
Mais il n'y a plus de puma aujourd'hui

III. L'OISEAU MOQUEUR

La chaleur est accablante
Balcon ombragé de jasmin de Virginie et de chèvrefeuille pourpré
Dans le grand silence de la campagne sommeillante
On discerne
Le glou-glou des petits torrents
Le mugissement lointain des grands troupeaux de bœufs dans les pâturages
Le chant du rossignol
Le sifflement cristallin des crapauds géants
Le hululement des rapaces nocturnes
Et le cri de l'oiseau-moqueur dans les cactus

VII. VILLE-DE-FRISCO

C'est une antique carcasse dévorée par la rouille
Vingt fois réparée la machine ne donne pas plus de 7 à 8 nœuds à l'heure
D'ailleurs par économie on ne brûle que des escarbilles et des déchets de charbon
On hisse des voiles de fortune chaque fois que le vent est favorable
Avec sa face écarlate ses sourcils touffus son nez bourgeonnant master Hopkins est un véritable marin
Des petits anneaux d'argent percent ses oreilles
Ce navire est exclusivement chargé de cercueils de Chinois décédés en Amérique et qui ont désiré se faire enterrer dans la terre natale
Caisses oblongues coloriées de rouge ou de bleu clair ou couvertes d'inscriptions dorées
C'est là un genre de marchandise qu'il est interdit de transporter

FLEUVE

MISSISSIPI

A cet endroit le fleuve est presque aussi large qu'un lac
Il roule des eaux jaunâtres et boueuses entre deux berges marécageuses
Plantes aquatiques que continuent les acréages des cotonniers
Çà et là apparaissent les villes et les villages tapis au fond de quelque petite baie avec leurs usines avec leurs hautes cheminées noires avec leurs longues estacades qui s'avancent leurs longues estacades sur pilotis qui s'avancent bien avant dans l'eau

Chaleur accablante
La cloche du bord sonne pour le lunch
Les passagers arborent des complets à carreaux des cravates hurlantes des gilets rutilants comme les cocktails incendiaires et les sauces corrosives

On aperçoit beaucoup de crocodiles
Les jeunes alertes et frétillants
Les gros le dos recouvert d'une mousse verdâtre se laissent aller à la dérive

La végétation luxuriante annonce l'approche de la zone tropicale
Bambous géants palmiers tulipiers lauriers cèdres
Le fleuve lui-même a doublé de largeur
Il est tout parsemé d'îlots flottants d'où l'approche du bateau fait s'élever des nuées d'oiseaux aquatiques
Steam-boats voiliers chalands embarcations de toutes sortes et d'immenses trains de bois
Une vapeur jaune monte des eaux surchauffées du fleuve

C'est par centaines maintenant que les crocos s'ébattent autour
de nous
On entend le claquement sec de leurs mâchoires et l'on distingue
très bien leur petit œil féroce
Les passagers s'amusent à leur tirer dessus avec des carabines de
précision
Quand un tireur émérite réussit ce tour de force de tuer ou de
blesser une bête à mort
Ses congénères se précipitent sur elle la déchirent
Férocement
Avec des petits cris assez semblables au vagissement d'un
nouveau-né

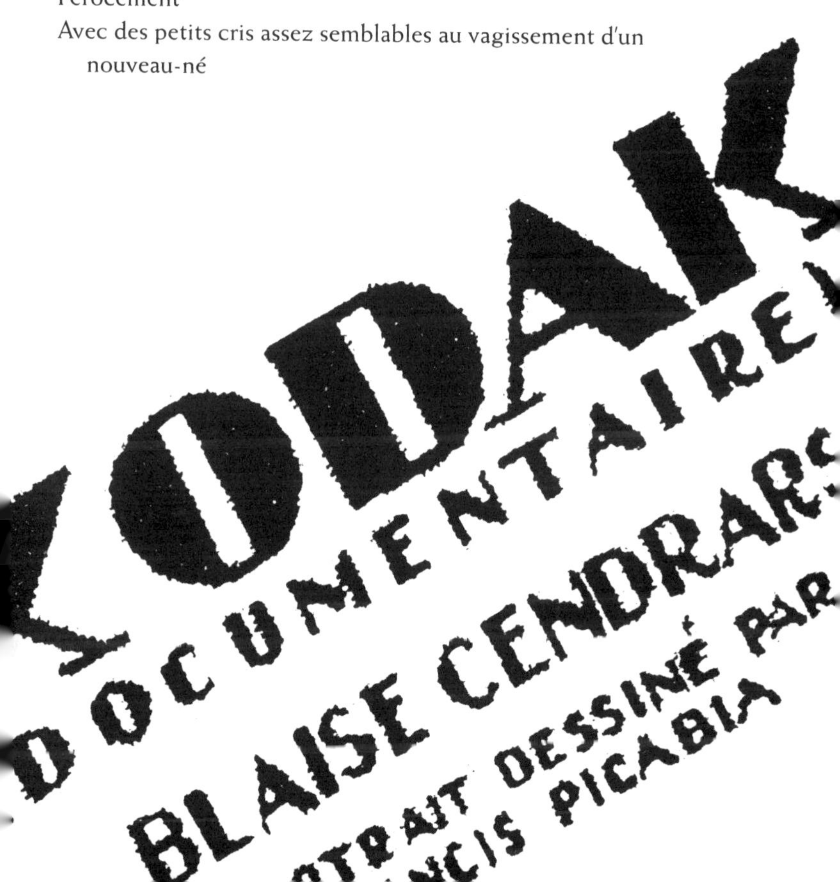

LE NORD
(extraits)

II. CAMPAGNE

Paysage magnifique
Verdoyantes forêts de sapins de hêtres de châtaigniers coupées de florissantes cultures de blé d'avoine de sarrasin de chanvre
Tout respire l'abondance
Le pays d'ailleurs est absolument désert
A peine rencontre-t-on par-ci par-là un paysan conduisant une charrette de fourrage
Dans le lointain les bouleaux sont comme des colonnes d'argent

III. PÊCHE ET CHASSE

Canards sauvages pilets sarcelles oies vanneaux outardes
Coqs de bruyère grives
Lièvres arctiques perdrix de neige ptamigans
Saumons truites arc-en-ciel anguilles
Gigantesques brochets et écrevisses d'une saveur particulièrement exquise

La carabine en bandoulière
Le bowie-knife à la ceinture
Le chasseur et le peau-rouge plient sous le poids du gibier
Chapelets de ramiers de perdrix rouges
Paons sauvages
Dindons des prairies
Et même un grand aigle blanc et roux descendu des nuages

IV. MOISSON

Une six-cylindres et deux Fords au milieu des champs
De tous les côtés et jusqu'à l'horizon les javelles légèrement
inclinées tracent un damier de losanges hésitants
Pas un arbre
Du nord descend le tintamarre de la batteuse et de la fourragère
automobiles
Et du sud montent les douze trains vides qui viennent charger
le blé

ÎLES
(extraits)

I. VICTUAILLES

Le petit port est très animé ce matin
Des coolies – tagals chinois malais – déchargent activement une
grande jonque à poupe dorée et aux voiles en bambou tressé
La cargaison se compose de porcelaines venues de la grande île
de Nippon
De nids d'hirondelles récoltés dans les cavernes de Sumatra
D'holothuries
De confitures de gingembre
De pousses de bambou confites dans du vinaigre
Tous les commerçants sont en émoi
Mr. Noghi prétentieusement vêtu d'un complet à carreaux
de fabrication américaine parle très couramment l'anglais
C'est en cette langue que s'engage la discussion entre ces messieurs
Japonais Canaques Taïtiens Papous Maoris et Fidjiens

II. PROSPECTUS

Visitez notre île
C'est l'île la plus au sud des possessions japonaises
Notre pays est certainement trop peu connu en Europe
Il mérite d'attirer l'attention
La faune et la flore sont très variées et n'ont guère été étudiées
jusqu'ici
Efin vous trouverez partout de pittoresques points de vue
Et dans l'intérieur
Des ruines de temples bouddhiques qui sont dans leur genre de
pures merveilles

IV. MAISON JAPONAISE

Tiges de bambou
Légères planches
Papier tendu sur des châssis
Il n'existe aucun moyen de chauffage sérieux

V. PETIT JARDIN

Lis chrysanthèmes
Cycas et bananiers
Cerisiers en fleurs
Palmiers orangers et superbes cocotiers chargés de fruits

VI. ROCAILLES

Dans un bassin rempli de dorades de Chine et de poissons aux
gueules monstrueuses
Quelques-uns portent des petits anneaux d'argent passés dans les
ouïes

VII. LÉGER ET SUBTIL

L'air est embaumé
Musc ambre et fleur de citronnier
Le seul fait d'exister est un véritable bonheur

VIII. KEEPSAKE

Le ciel et la mer
Les vagues viennent caresser les racines des cocotiers et des grands tamarins au feuillage métallique

IX. ANSE POISSONNEUSE

L'eau est si transparente et si calme
On aperçoit dans les profondeurs les broussailles blanches des coraux
Le balancement prismatique des méduses suspendues
Les envols des poissons jaunes roses lilas
Et au pied des algues onduleuses les holothuries azurées et les oursins verts et violets

I. LE FORMOSE
(extraits)

RÉVEIL

Je dors toujours les fenêtres ouvertes
J'ai dormi comme un homme seul
Les sirènes à vapeur et à air comprimé ne m'ont pas trop réveillé

Ce matin je me penche par la fenêtre
Je vois
Le ciel
La mer
La gare maritime par laquelle j'arrivais de New York en 1911
La baraque du pilotage
Et
A gauche
Des fumées des cheminées des grues des lampes à arc à contre-
jour

Le premier tram grelotte dans l'aube glaciale
Moi j'ai trop chaud
Adieu Paris
Bonjour soleil

TU ES PLUS BELLE QUE LE CIEL ET LA MER

Quand tu aimes il faut partir
Quitte ta femme quitte ton enfant
Quitte ton ami quitte ton amie
Quitte ton amante quitte ton amant
Quand tu aimes il faut partir

Le monde est plein de nègres et de négresses
Des femmes des hommes des hommes des femmes
Regarde les beaux magasins
Ce fiacre cet homme cette femme ce fiacre
Et toutes les belles marchandises

Il y a l'air il y a le vent
Les montagnes l'eau le ciel la terre
Les enfants les animaux
Les plantes et le charbon de terre

Apprends à vendre à acheter à revendre
Donne prends donne prends
Quand tu aimes il faut savoir
Chanter courir manger boire
Siffler
Et apprendre à travailler

Quand tu aimes il faut partir
Ne larmoie pas en souriant
Ne te niche pas entre deux seins
Respire marche pars va-t'en

Je prends mon bain et je regarde
Je vois la bouche que je connais La
La main la jambe Le l'œil
Je prends mon bain et je regarde

Le monde entier est toujours là
La vie pleine de choses surprenantes
Je sors de la pharmacie
Je descends juste de la bascule
Je pèse mes 80 kilos
Je t'aime

LETTRE

Tu m'as dit si tu m'écris
Ne tape pas tout à la machine
Ajoute une ligne de ta main
Un mot un rien oh pas grand'chose
Oui oui oui oui oui oui oui oui

Ma Remington est belle pourtant
Je l'aime beaucoup et travaille bien
Mon écriture est nette et claire
On voit très bien que c'est moi qui l'ai tapée

Il y a des blancs que je suis seul à savoir faire
Vois donc l'œil qu'a ma page
Pourtant pour te faire plaisir j'ajoute à l'encre
Deux trois mots
Et une grosse tache d'encre
Pour que tu ne puisses pas les lire

LETTRE-OCÉAN

La lettre-océan n'est pas un nouveau genre poétique
C'est un message pratique à tarif régressif et bien meilleur marché qu'un radio
On s'en sert beaucoup à bord pour liquider des affaires que l'on n'a pas eu le temps de régler avant son départ et pour donner des dernières instructions
C'est également un messager sentimental qui vient vous dire bonjour de ma part entre deux escales aussi éloignées que Leixoës et Dakar alors que me sachant en mer pour six jours on ne s'attend pas à recevoir de mes nouvelles
Je m'en servirai encore durant la traversée du sud-atlantique entre Dakar et Rio-de-Janeiro pour porter des messages en arrière car on ne peut s'en servir que dans ce sens-là
La lettre-océan n'a pas été inventée pour faire de la poésie
Mais quand on voyage quand on commerce quand on est à bord quand on envoie des lettres-océan
On fait de la poésie

A LA HAUTEUR DE RIO DE L'OURO

Les cormoroans nous suivent
Ils ont un vol beaucoup plus sûr que les mouettes ce sont des oiseaux beaucoup plus gros ils ont un plus beau plumage blanc bordé de noir brun ou tout noir comme les corneilles de mer
Nous croisons six petits voiliers chargés de sel qui font le service entre Dakar et les Grandes Canaries

EN VUE DU CAP BLANC

L'atmosphère est chaude sans excès
La lumière du soleil filtre à travers un air humide et nuageux
La température uniforme est plutôt élevée
C'est la période que traverse sans doute actuellement la planète Vénus
Ce sont les meilleurs conditions pour paresser

BLEUS

La mer est comme un ciel bleu bleu bleu
Par au-dessus le ciel est comme le lac Léman
Bleu-tendre

COUCHERS DE SOLEIL

Tout le monde parle des couchers de soleil
Tous les voyageurs sont d'accord pour parler des couchers de soleil dans ces parages
Il y a plein de bouquins où l'on ne décrit que les couchers de soleil
Les couchers de soleil des tropiques
Oui c'est vrai c'est splendide
Mais je préfère de beaucoup les levers de soleil
L'aube
Je n'en rate pas une
Je suis toujours sur le pont
A poils
Et je suis toujours seul à les admirer
Mais je ne vais pas les décrire les aubes
Je vais les garder pour moi tout seul

NUITS ÉTOILÉES

Je passe la plus grande partie de la nuit sur le pont
Les étoiles familières de nos latitudes penchent penchent sur
le ciel
L'étoile Polaire descend de plus en plus sur l'horizon nord
Orion – ma constellation – est au zénith
La Voie Lactée comme une fente lumineuse s'élargit chaque nuit
Le Chariot est une petite brume
Le sud est de plus en plus noir devant nous
Et j'attends avec impatience l'apparition de la Croix du Sud à l'est
Pour me faire patienter Vénus a doublé de grandeur et quintuplé
d'éclat comme la lune elle fait une traînée sur la mer
Cette nuit j'ai vu tomber un bolide

COMPLET BLANC

Je me promène sur le pont dans mon complet blanc acheté à
Dakar
Aux pieds j'ai mes espadrilles achetées à Villa Garcia
Je tiens à la main mon bonnet basque rapporté de Biarritz
Mes poches sont pleines de Caporal Ordinaire
De temps en temps je flaire mon étui en bois de Russie
Je fais sonner des sous dans ma poche et une livre sterling en or
J'ai mon gros mouchoir calabrais et des allumettes de cire de ces
grosses que l'on ne trouve qu'à Londres
Je suis propre lavé frotté plus que le pont
Heureux comme un roi
Riche comme un milliardaire
Libre comme un homme

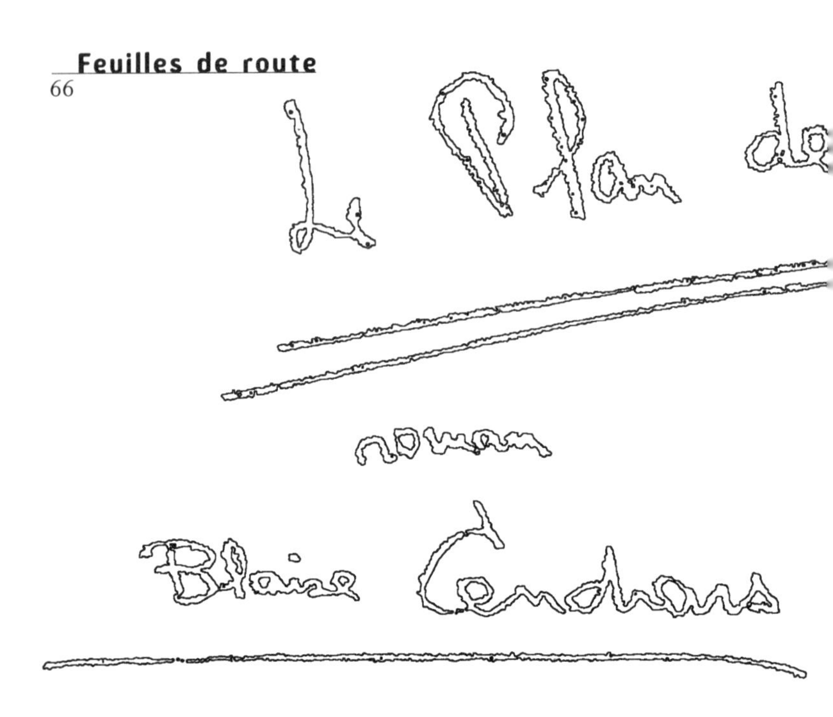

LA CABINE N° 6

Je l'occupe
Je devrais toujours vivre ici
Je n'ai aucun mérite à y rester enfermé et à travailler
D'ailleurs je ne travaille pas j'écris tout ce qui passe par la tête
Non tout de même pas tout
Car des tas de choses me passent par la tête mais n'entrent pas
 dans ma cabine
Je vis dans un courant d'air le hublot grand ouvert et le
 ventilateur ronflant
Je ne lis rien

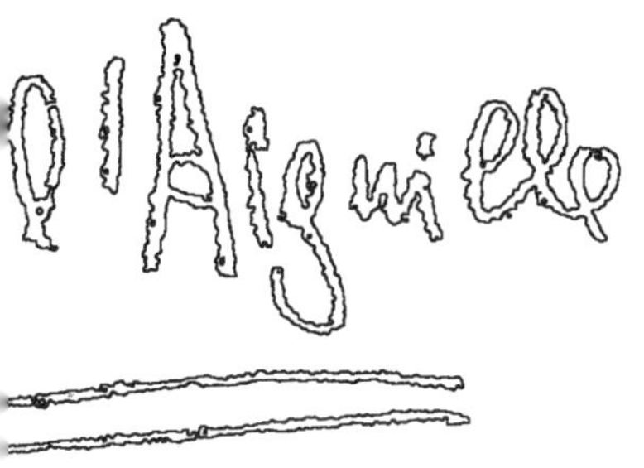

BAGAGE

Dire que des gens voyagent avec des tas de bagages
Moi je n'ai emporté que ma malle de cabine et déjà je trouve que c'est trop que j'ai trop de choses
Voici ce que ma malle contient
Le manuscrit de Moravagine que je dois terminer à bord et mettre à la poste à Santos pour l'expédier à Grasset
Le manuscrit du Plan de l'Aiguille que je dois terminer le plus tôt possible pour l'expédier au Sans Pareil
Le manuscrit d'un ballet pour la prochaine saison des Ballets Suédois et que j'ai fait à bord entre Le Havre et La Pallice d'où je l'ai envoyé à Satie
Le manuscrit du Cœur du Monde que j'enverrai au fur et à mesure à Raymone
Le manuscrit de l'Equatoria
Un gros paquet de contes nègres qui formera le deuxième volume de mon Anthologie
Plusieurs dossiers d'affaires
Les deux gros volumes du dictionnaire Darmesteter
Ma Remington portable dernier modèle
Un paquet contenant des petites choses que je dois remettre à une femme à Rio
Mes babouches de Tombouctou qui portent les marques de la grande caravane
Deux paires de godasses mirifiques
Une paire de vernis
Deux complets
Deux pardessus
Mon gros chandail du Mont-Blanc

De menus objets pour la toilette
Une cravate
Six douzaines de mouchoirs
Trois liquettes
Six pyjamas
Des kilos de papier blanc
Des kilos de papier blanc
Et un grigri
Ma malle pèse 57 kilos sans mon galurin gris

ORION

C'est mon étoile
Elle a la forme d'une main
C'est ma main montée au ciel
Durant toute la guerre je voyais Orion par un créneau
Quand les Zeppelins venaient bombarder Paris ils venaient
toujours d'Orion
Aujourd'hui je l'ai au-dessus de ma tête
Le grand mât perce la paume de cette main qui doit souffrir
Comme ma main coupée me fait souffrir percée qu'elle est par
un dard continuel

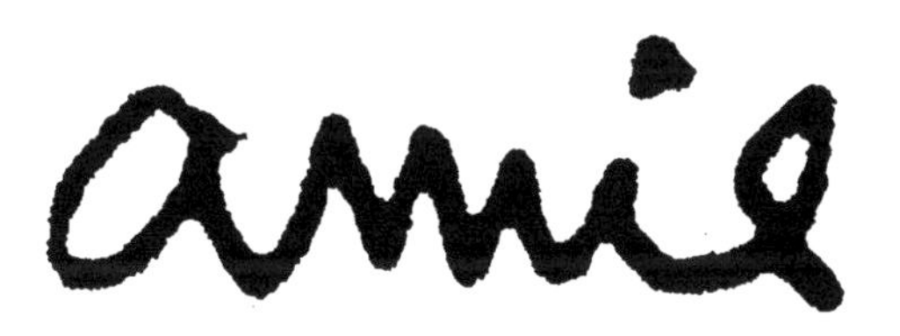

L'ÉQUATEUR

L'océan est d'un bleu noir le ciel bleu est pâle à côté
La mer se renfle tout autour de l'horizon
On dirait que l'Atlantique va déborder sur le ciel
Tout autour du paquebot c'est une cuve d'outremer pur

LE POTEAU NOIR

Nous sommes depuis plusieurs jours déjà dans la région du poteau
Je sais bien que l'on écrit depuis toujours le pot au noir
Mais ici à bord on dit le poteau
Le poteau est un poteau noir au milieu de l'océan où tous les
bateaux s'arrêtent histoire de mettre une lettre à la poste
Le poteau est un poteau noir enduit de goudron où l'on attachait
autrefois les matelots punis de corde ou de schlague
Le poteau est un poteau noir contre lequel vient se frotter le chat
à neuf queues
Assurément quand l'orage est sur vous on est comme dans un
pot au noir
Mais quand l'orage se forme on voit une barre noire dans le ciel
cette barre noircit s'avance menace et dame le matelot
le matelot qui n'a pas la conscience tranquille pense au
poteau noir
D'ailleurs même si j'ai tort j'écrirai le poteau noir et non le pot
au noir car j'aime le parler populaire et rien ne me prouve
que ce terme n'est pas en train de muer
Et tous les hommes du *Formose* me donnent raison

AUBE

A l'aube je suis descendu au fond des machines
J'ai écouté pour une dernière fois la respiration profonde des pistons
Appuyé à la fragile main-courante de nickel j'ai senti pour une dernière fois cette sourde vibration des arbres de couche pénétrer en moi avec le relent des huiles surchauffées et la tiédeur de la vapeur
Nous avons encore bu un verre le chef mécanicien cet homme tranquille et triste qui a un si beau sourire d'enfant et qui ne cause jamais et moi
Comme je sortais de chez lui le soleil sortait tout naturellement de la mer et chauffait déjà dur
Le ciel mauve n'avait pas un nuage
Et comme nous pointions sur Santos notre sillage décrivait un grand arc-de-cercle miroitant sur la mer immobile

ÎLES

Îles
Îles
Îles ou l'on ne prendra jamais terre
Îles où l'on ne descendra jamais
Îles couvertes de végétations
Îles tapies comme des jaguars
Îles muettes
Îles immobiles
Îles inoubliables et sans nom
Je lance mes chaussures par-dessus bord car je voudrais bien aller
jusqu'à vous

II. SÃO PAULO
(extraits)

DEBOUT

La nuit s'avance
Le jour commence à poindre
Une fenêtre s'ouvre
Un homme se penche au dehors en fredonnant
Il est en bras de chemise et regarde de par le monde
Le vent murmure doucement comme une tête bourdonnante

SAINT-PAUL

J'adore cette ville
Saint-Paul est selon mon cœur
Ici nulle tradition
Aucun préjugé
Ni ancien ni moderne
Seuls comptent cet appétit furieux cette confiance absolue cet optimisme cette audace ce travail ce labeur cette spéculation qui font construire dix maisons par heure de tous styles ridicules grotesques beaux grands petits nord sud égyptien yankee cubiste
Sans autre préoccupation que de suivre les statistiques prévoir l'avenir le confort l'utilité la plus-value et d'attirer une grosse immigration
Tous les pays
Tous les peuples
J'aime ça
Les deux trois vieilles maisons portugaises qui restent sont des faïences bleues

III.
(extraits)

RÉVEIL

Je suis nu
J'ai déjà pris mon bain
Je me frictionne à l'eau de Cologne
Un voilier lourdement secoué passe dans mon hublot
Il fait froid ce matin
Il y a de la brume
Je range mes papiers
J'établis un horaire
Mes journées seront bien remplies
Je n'ai pas une minute à perdre
J'écris

RIO DE JANEIRO

Une lumière éclatante inonde l'atmosphère
Une lumière si colorée et si fluide que les objets qu'elle touche
Les rochers roses
Le phare blanc qui les surmonte
Les signaux du sémaphore en semblent liquéfiés
Et voici maintenant que je sais le nom des montagnes qui
entourent cette baie merveilleuse
Le Géant couché
La Gavéa
Le Bico de Papagaio
Le Corcovado
Le Pain de Sucre que les compagnons de Jean de Léry
appelaient le Pot de Beurre
Et les aiguilles étranges de la chaîne des Orgues
Bonjour Vous

ÉCRIRE

Ma machine bat en cadence
Elle sonne au bout de chaque ligne
Les engrenages grasseyent
De temps en temps je me renverse dans mon fauteuil de jonc
  et je lâche une grosse bouffée de fumée
Ma cigarette est toujours allumée
J'entends alors le bruit des vagues
Les gargouillements de l'eau étranglée dans la tuyauterie du lavabo
Je me lève et trempe ma main dans l'eau froide
Ou je me parfume
J'ai voilé le miroir de l'armoire à glace pour ne pas me voir écrire
Le hublot est une rondelle de soleil
Quand je pense
Il résonne comme la peau d'un tambour et parle fort

SMOKING

Il n'y a que les miteux qui n'ont pas de smoking à bord
Il n'y a que les gens trop bien élevés qui ont des smokings à bord
Je mets un petit complet en cheviotte d'Angleterre et la mer
  est d'un bleu aussi uni que mon complet bleu tropical

LA NUIT MONTE

J'ai bien observé comment cela se passait
Quand le soleil est couché
C'est la mer qui s'assombrit
Le ciel conserve encore longtemps une grande clarté
La nuit monte de l'eau et encercle lentement tout l'horizon
Puis le ciel s'assombrit à son tour avec lenteur
Il y a un moment où il fait tout noir
Puis le noir de l'eau et le noir du ciel reculent
Il s'établit une transparence éburnéenne avec des reflets dans
l'eau et des poches obscures au ciel
Puis le Sac à Charbon sous la Croix du Sud
Puis la Voix Lactée

COUCHER DE SOLEIL

Nous sommes en vue des côtes
Le coucher de soleil a été extraordinaire
Dans le flamboiement du soir
D'énormes nuages perpendiculaires et d'une hauteur folle
Chimères griffons et une grande victoire ailée sont restés toute
la nuit au-dessus de l'horizon
Au petit jour tout le troupeau se trouvait réuni jaune et rose
au-dessus de Bahia en damier

BAHIA

Lagunes églises palmiers maisons cubiques
Grandes barques avec deux voiles rectangulaires renversées qui ressemblent aux jambes immenses d'un pantalon que le vent gonfle
Petites barquettes à aileron de requin qui bondissent entre les lames de fond
Grands nuages perpendiculaires renflés colorés comme des poteries
Jaunes et bleues

HIC HAEC HOC

J'ai acheté trois ouistitis que j'ai baptisés Hic Haec Hoc
Douze colibris
Mille cigares
Et une main de bahiana grande comme un pied
Avec ça j'emporte le souvenir du plus bel éclat de rire

PERNAMBOUCO

Victor Hugo l'appelle Fernandbouc aux Montagnes Bleues
Et un vieil auteur que je lis Ferdinandbourg aux mille Églises
En indien ce nom signifie la Bouche Fendue
Voici ce que l'on voit aujourd'hui quand on arrive du large et
 que l'on fait une escale d'une heure et demie
Des terres basses sablonneuses
Une jetée en béton armé et une toute petite grue
Une deuxième jetée en béton armé et une immense grue
Une troisième jetée en béton armé sur laquelle on édifie des
 hangars en béton armé
Quelques cargos à quai
Une longue suite de baraques numérotées
Et par derrière quelques coupoles deux trois clochers et un
 observatoire astronomique
Il y a également les tanks de l'*American Petroleum Co* et de la *Caloric*
Du soleil de la chaleur et de la tôle ondulée

ADRIENNE LECOUVREUR ET COCTEAU

J'ai encore acheté deux tout petits ouistitis
Et deux oiseaux avec des plumes comme en papier moiré
Mes petits singes ont des boucles d'oreilles
Mes oiseaux ont les ongles dorés
J'ai baptisé le plus petit singe Adrienne Lecouvreur l'autre Jean
J'ai donné un oiseau à la fille de l'amiral argentin qui est à bord
C'est une jeune fille bête et qui louche des deux yeux
Elle donne un bain de pied à son oiseau pour lui dédorer les pattes
L'autre chante dans ma cabine dans quelques jours il imitera tous les bruits familiers et sonnera comme ma machine à écrire
Quand j'écris mes petits singes me regardent
Je les amuse beaucoup
Ils s'imaginent qu'ils me tiennent en cage

CHRISTOPHE COLOMB

Ce que je perds de vue aujourd'hui en me dirigeant vers l'est
c'est ce que Christophe Colomb découvrait en se dirigeant vers l'ouest
C'est dans ces parages qu'il a vu un premier oiseau blanc et noir
qui l'a fait tomber à genoux et rendre grâces à Dieu
Avec tant d'émotion
Et improviser cette prière baudelairienne qui se trouve dans son journal de bord
Et où il demande pardon d'avoir menti tous les jours à ses compagnons en leur indiquant un faux point
Pour qu'ils ne puissent retrouver sa route

PLAGE

Dans une baie
Derrière un promontoire
Une plage de sable jaune et des palmiers de nacre

L'OISEAU BLEU

Mon oiseau bleu a le ventre tout bleu
Sa tête est d'un vert mordoré
Il a une tache noire sous la gorge
Ses ailes sont bleues avec des touffes de petites plumes jaune doré
Au bout de la queue il y a des traces de vermillon
Son dos est zébré de noir et de vert
Il a le bec noir les pattes incarnat et deux petits yeux de jais
Il adore faire trempette se nourrit de bananes et pousse un cri qui
ressemble au sifflement d'un tout petit jet de vapeur
On le nomme le septicolore

VII

Nous ne voulons pas être tristes
C'est trop facile
C'est trop bête
C'est trop commode
On en a trop souvent l'occasion
C'est pas malin
Tout le monde est triste
Nous ne voulons plus être tristes

1924

ÉPITAPHE

Là-bas gît
Blaise Cendrars
Par latitude zéro
Deux ou trois dixièmes sud
Une, deux, trois douzaines de degrés
Longitude ouest
Dans le ventre d'un cachalot
Dans un grand cuveau indigo.

Poème publié sous le nom de Frédéric Sauser

LA LÉGENDE DE NOVGORODE

C'est alors seulement que j'étais un vrai poète.

Lorsqu'on a dix-sept ans – comme a dit Arthur Rimbaud –
on n'a que poésie et amour en tête... C'était une même soirée
suffocante,
les tilleuls enivraient comme la bière de Munich. Et le vent
somnolent
goûtait l'écume des papillons autour des réverbères... Et les villas
des honorables Suisses
en troupeaux de fringants moutons roses descendaient à
l'abreuvoir.

Et moi, comme un somnambule, je descendais du cinquième
étage le long de la gouttière ;
moi, ce jour-là, je m'enfuyais de la maison de mon père.

Je voulais m'engouffrer dans la vie de la poésie
et pour cela il me fallait traverser la poésie de la vie.
J'étais le Hollandais Volant, sous moi scintillaient les époques et
les destins
et les sombres nuées de la flotte hanséatique me suivaient à
grand'peine et moi je les attirais vers l'Orient
où nous attendait Novgorod – royaume de l'or puant
des fourrures que, du Pôle, venus de leurs comptoirs et leurs
isbas,
des archers à face de Mongols nous apportaient, exigeant de
la vodka en échange.

Les plaines luisaient comme de l'hermine dans le soleil couchant,
piquetées de corbeaux dans la neige fraîche... Je contemplais
les neiges et je vis en rêve
des files de moines qui marchaient vers leur
Dieu de patience.
Dans un énorme livre à l'odeur de cire, j'ai lu son histoire.
J'étais le moine qui psalmodiait, penché sur ce livre
qui de ses ailes jaunies effeuillées
survole l'étendue des siècles et des royaumes
pour nous prouver à tous que tour à tour disparaît et revient
ce qui existe avec nous... Mais la vie sans fin demeure
immuable !
Ma plume grinçait et ma fièvre montait dans ma naïve poursuite
de la gloire ; et sous la couverture dorée du livre, c'est moi
que je voyais,
prêtre dans la pénombre de l'église orthodoxe.
Et les mots que je laissais tomber étaient les pièces d'or
que je devais payer aux marchands
avant de pouvoir les lancer dans le monde.

Mes mains caressaient la gorge souple des plus douces beautés,
et de ces mains je tordais le cou de mille marchands suants et vaniteux
– et moi aussi j'étais un puissant marchand, effleurant avec délicatesse
les choses payées de mes deniers... Mais en réalité, je n'ai même pas pu frôler
une chair parfumée et tendre et tiède
comme la neige... ni le creux, si chaud aussi, tendre et soyeux
vers lequel tendait mon vif animal.

Dans le Nord où le ciel renversé comme un baquet
inonde tout de lait, et sans doute
la Voie Lactée ne tarira jamais, et où vogue la lune, motte de beurre frais –
ce Nord, y suis-je vraiment allé ? Ah ces nuits blanches de Saint-Pétersbourg
comme un halo de champs blancs dans ma mémoire.

A minuit on relevait les ponts – portes de pierre conduisant
au ciel
ou hors de l'enfer...
Mais qui entrait ou qui sortait je n'étais pas fichu alors
de le distinguer
et ma mémoire depuis lors est comme la nuit blanche
car on a enlevé mon Hélène
et Troie est déjà réduite en cendres.

A cette époque j'étais un jeune homme de dix-sept ans
et Novgorod m'accueillit avec ses troupeaux de maisons de bois
grâce auxquelles mes ennemis ont pu forcer la citadelle
de mon amour inaccessible
et ne laisser derrière eux que cendres, que cendres, que cendres.

Dans quel cerveau a germé l'idée stupide que la beauté est
éternelle ?
Peut-on s'emparer de l'éternité ? Le soir,
dès l'envolée des cloches au-dessus de la ville
comme des diables pendus à l'arbre céleste,
je voyais les incendies futurs et derrière eux cheminaient les
hermines
du rouge empire russe, cendre froide, blanche comme le givre
avec ses tisons noirs... Et je me suis vu moi-même cendre
après l'incendie des sentiments et de l'espoir. Éternel incendie
attisé par la porte ailée de la banque de Rostov
où je travaillais dans un salon glacial et où j'avais toujours honte
de lancer un sou de cuivre dans la sébile du pauvre et d'avoir l'air
d'un millionnaire
descendu à l'hôtel d'Angleterre de Saint-Pétersbourg
où l'orchestre tzigane avec ses balalaïkas
vous vide la raison à coups de balai, et soudain surgit Rogojine
qui jette des billets par liasses dans les bras de sa bien-aimée.

Demain quand ma Jeanne et moi prendrons l'express Transsibérien
et que passé l'Oural nos réserves seront épuisées,
Rogovine, mon bienfaiteur, nous étonnera, s'occupant lui-même
du train,
enfournant des briquettes de roubles dans la gueule rouge de la
locomotive,
pour nous entraîner toujours plus loin, plus loin, et nous faire fuir
ce qui nous attend tous – et les riches et les pauvres –
au bout du chemin terrestre...

Ah ces fourrures russes – combien en est-il passé entre mes mains
de Suisse,
tout Suisse pourrait me l'envier... Mais le poète aussi
est un suisse aux lourdes portes entre le paradis
et l'enfer – pour que le bien ne puisse se changer en mal... et
que le mal
soit éternellement contenu. Tout autour – ténèbres,
comme dans l'âme d'un moujik. Dehors
le ciel humide et froid brille de tous ses clous
comme si quelqu'un s'évadait des souillures de la vie
et que seul reste visible le furtif scintillement de sa semelle dans
la nuit.

Sur la chaussée de bois je marchais, longeant les entrepôts, les
baraques et les tavernes
comme sur une Voie Appienne pavée de cercueils.
Par cette nuit sans lune je faillis chuter, sans doute dans ta tombe
ouverte.
Oui, c'était bien ta tombe, béante, Ô Seigneur, car des étincelles
aussi douloureuses n'auraient pu jaillir des mes yeux d'homme
dans l'obscurité.

Comme moi tu travaillais dans le magasin du célèbre Juif Leuba,
tes stigmates saignaient, tels des rubis, sous le regard des visiteurs,
et nombreux étaient ceux dont tu affublais les oreilles et
les doigts de pierres précieuses, Ô Jésus,
et tu parais les gorges dénudées de tant de Madeleines de la nuit,
toi qui avais chassé les marchands du temple
d'un coup de fouet sec.

Non, je ne veux pas toute ma vie acheter et vendre,
je veux vivre en aventurier, en vagabond, aux frais des marchands,
je veux que la réalié m'apparaisse comme un rêve et vivre dans
un monde de visions.

Cette année-là, on tira sur les bosquets le long des chemins
comme sur les grévistes de Gapone.

Demain quand nous nous enfuirons dans l'express Transsibérien,
la petite Jeanne et moi,
vers Port-Arthur, vers Kharbine,
vers les vagues de plomb de l'Amour
où, comme des rondins, les cadavres jaunes remontent toujours
en surface,
nous trouverons, enfin, le chemin qui conduit à nous et à l'amour
sans savoir que cet amour déborde de sentiments morts.

Car il n'est terre plus inconnue ni lieu plus attirant
que l'âme humaine... J'ai peur d'éclater en sanglots.

Au-dessus de moi pend la lampe du wagon, gluante de la chiure
des mouches obsédantes,
comme l'énorme morve d'un pitoyable voyageur.

Pendant des heures je regarde à travers la vitre nocturne embuée
d'une sueur brûlante.
Un cyprès solitaire, tout revêtu d'âcre poussière,
regarde les fenêtres closes de la maison de mon père
comme le moine qui me suit depuis tant de lieues le long du
chemin,
éternellement à mes côtés, pour me lire éternellement un
fragment de la légende
de la Nouvelle Ville resplendissante,
légende que peut-être je vous conterai un jour.

Dans le ciel froid du Nord le soleil roule, paisible,
soleil géant des Slaves : roue à rayons de bois
qui restera éternellement la cinquième roue
du carrosse des peuples.

Mon rêve au ralenti comme une somnolente cadence :

Les longues bandes des plaines infinies sur la Russie vaincue
et soudain un poulain approche, approche de plus en plus
– sang neuf
à travers la gaze des neiges.

TABLE DES MATIÈRES

62. En vue du Cap blanc (*Feuilles de route*, Denoël)
63. Bleus (*Feuilles de route*, Denoël)
Couchers de soleil (*Feuilles de route*, Denoël)
64. Nuits étoilées (*Feuilles de route*, Denoël)
65. Complet blanc (*Feuilles de route*, Denoël)
66. La cabine n° 6 (*Feuilles de route*, Denoël)
67. Bagage (*Feuilles de route*, Denoël)
69. Orion (*Feuilles de route*, Denoël)
L'Équateur (*Feuilles de route*, Denoël)
70. Le poteau noir (*Feuilles de route*, Denoël)
71. Aube (*Feuilles de route*, Denoël)
72. Îles (*Feuilles de route*, Denoël)
73. II. São Paulo, extraits, Debout, (*Feuilles de route*, Denoël)
Saint-Paul (São Paulo, *Feuilles de route*, Denoël)
74. III. Réveil (São Paulo, *Feuilles de route*, Denoël)
Rio de Janeiro (São Paulo, *Feuilles de route*, Denoël)
75. Écrire (*Feuilles de route*, Denoël)
Smoking (*Feuilles de route*, Denoël)
76. La nuit monte (*Feuilles de route*, Denoël)
Coucher de soleil (*Feuilles de route*, Denoël)
77. Bahia (*Feuilles de route*, Denoël)
Hic Haec Hoc (*Feuilles de route*, Denoël)
78. Pernambouco (*Feuilles de route*, Denoël)
79. Adrienne Lecouvreur et Jean Cocteau (*Feuilles de route*, Denoël)
80. Christophe Colomb (*Feuilles de route*, Denoël)
Plage (*Feuilles de route*, Denoël)
81. L'oiseau bleu (*Feuilles de route*, Denoël)
82. VII «Nous ne voulons pas être tristes...» (*Sud-Américaines*, Denoël)
83. Épitaphe (*Poèmes retrouvés* © Miriam Cendrars, 1961)
84. La légende de Novgorode (*Poèmes de jeunesse* © Miriam Cendrars) 1961

Nous tenons à remercier Madame Miriam Cendrars pour l'attention portée à ce travail, pour ses conseils, ses suggestions et sa précieuse contribution à la partie biographique de la préface.

BIBLIOGRAPHIE

Aux Éditions Denoël, la collection *Tout autour d'aujourd'hui* réunit les œuvres complètes de Blaise Cendrars en 15 volumes, 9 volumes étant déjà parus à ce jour (décembre 2003), et notamment le volume 1 POÉSIES COMPLÈTES, les six prochains volumes étant programmés pour 2004 et 2005.

Ouvrages parus en poche aux Éditions Gallimard :

BOURLINGUER, Folio n° 602, mémoires.
EMMÈNE-MOI AU BOUT DU MONDE !... Folio n° 15, roman.
L'HOMME FOUDROYÉ, Folio n° 467, mémoires.
L'OR, LA MERVEILLEUSE AVENTURE DU GÉNÉRAL JOHANN AUGUSTE SUTER, Folio n° 331, roman.
LE LOTISSEMENT DU CIEL, Folio n° 2795, mémoires.
LA MAIN COUPÉE, Folio n° 619, mémoires.
PETITS CONTES NÈGRES POUR LES ENFANTS DES BLANCS, Folio Cadet.

ICONOGRAPHIE

Couverture et 3 Blaise Cendrars, photo, coll. Miriam Cendrars **Couverture et 4-5-6-7** Signature de Blaise Cendrars, coll. Miriam Cendrars **5-7** Cendrars par Modigliani, dessin, détail, DR **8-9-32-33** Manuscrit de Cendrars du 27 mai 1912, extrait de *New York in Flashlight*, détail, coll. Miriam Cendrars **9-51** Premier plat de couverture pour *Kodak (Documentaire)*, détail, BNF, Paris **9** Signature de Blaise Cendrars, coll. Miriam Cendrars **47** Blaise Cendrars, photo, coll. Miriam Cendrars **46-47** Marie-Louise, la mère de Freddy, détail, photo, coll. Miriam Cendrars **66-67** Dessin du titre de la couverture du *Plan de l'Aiguille* par Blaise Cendrars, détails, coll. Miriam Cendrars **68-69** Manuscrit, détail, et signature de Blaise Cendrars, coll. Miriam Cendrars **90** Blaise Cendrars, photo, coll. Miriam Cendrars.

Loi n° 49-956 du 17 juillet 1949
sur les publications destinées à la jeunesse
ISBN 2-07-0556085
N° d'édition : 123944
N° d'impression : 96105
Dépôt légal : décembre 2003
Imprimé en France sur les presses de l'imprimerie Hérissey